Ce livre appartient à

Au trot !

Les exploits de Maxime et Clara

est une collection destinée aux enfants qui apprennent à lire et qui ont envie de lire des histoires tout seuls. La collection propose trois niveaux progressifs qui suivent les grandes étapes de l'apprentissage de la lecture.

Dans chaque volume, on trouve :

♣ l'histoire d'un petit exploit de Maxime et Clara, deux enfants de six ans, malicieux et débrouillards ;

♣ le dossier (p. 28), qui se compose d'activités pour faciliter les premiers pas de lecteur de l'enfant ;

♣ le dico illustré (p. 32), qui permet à tout moment de la lecture d'identifier un mot grâce à un dessin.

Crédits photos : p. 31 : [hg] © Divergence/Emmanuelle Thiercelin ; [hd] Thinkstock/iStock/ Jari Hindström ; [bg] Thinkstock/Monkey Business Images ; [bd] Thinkstock/ Hemera/ Don Stevenson.

Illustrations des pages 28 à 32 : François Garnier, Lise Herzog, Marie-Élise Masson, Stéphanie Rubini, Thinkstock/iStock/Larisa_Zorina.

© Éditions Belin 2014   ISBN 978-2-7011-8331-2

Les exploits de Maxime et Clara

COLLECTION BOSCHER

Au trot !

Barbara Arroyo
Texte et dossier

✿

Marie-Élise Masson
Illustrations

Belin:

8, rue Férou 75278 Paris cedex 06
www.editions-belin.com

Pour son anniversaire, Maxime va passer
une journée au poney-club avec son amie
Clara. Les enfants sont tout contents.
– Regarde, il y a des chevaux dans le pré !
dit Maxime.
– On arrive ! crie Clara.

Les parents de Maxime vont voir Julie,
la monitrice.

Pendant ce temps, les enfants courent
vers les poneys.

– Psssst ! fait Maxime à un poney marron
qui s'approche.

– Il est trop joli ! s'écrie Clara.

– Venez les enfants, je vais vous montrer
la sellerie, dit Julie.

– Comment s'appelle mon poney ?
demande Clara.

– Caramel, dit Julie. Toi, Maxime,
tu montes Chocolat. Prenez leurs filets.
J'apporte vos bombes et vos selles.

Vite, Clara file dans l'écurie.

– Eh, on ne fait pas la course ! râle Maxime.

Julie vient aider les deux amis à préparer
leurs poneys, car tout doit être bien attaché.

Maxime et Clara suivent Julie jusqu'au manège. L'heure de monter sur les poneys est enfin arrivée !

– Tenez les rênes, mettez le pied gauche dans l'étrier et poussez ! leur dit Julie.

– Oh hisse, ce n'est pas facile ! dit Clara.

– Un petit sourire ! dit le papa de Maxime
qui prend une photo.

Puis c'est au tour de Maxime de monter
sur Chocolat.

Au début, les poneys avancent au pas.

Puis Julie annonce qu'ils vont passer au trot.

– Oooh ! Je vais tomber ! crie Maxime.

Julie le rassure :

– Mets-toi bien en arrière !

– Maintenant, vous allez vous arrêter,
dit Julie. Levez doucement les mains.
Maxime et Clara ont bien écouté.
Leurs poneys s'arrêtent du premier coup !
– Bravo ! dit Julie. Vous avez mérité
un bon pique-nique.

Après le déjeuner, c'est l'heure de la
promenade.

– En route pour l'aventure ! lance Maxime.
Dans la forêt, Clara et Maxime voient
des oiseaux et même des écureuils.

Mais tout à coup, Caramel s'arrête
pour manger des fleurs.

– Caramel, avance ! dit Clara.

Ouf ! Julie et Maxime viennent l'aider.

– Caramel, tu es un gros gourmand !
dit Julie en riant.

Les enfants ramènent leurs poneys à l'écurie.

Ils enlèvent les selles et les filets.

– Julie, je peux brosser Chocolat ?

demande Maxime.

– Bien sûr, il sera très content ! répond Julie.

– Moi, je coiffe la crinière de Caramel.

Il sera le plus beau ! dit Clara.

C'est déjà l'heure de rentrer.

Maxime et Clara racontent leurs exploits

aux parents de Maxime.

– Dis, Julie, la prochaine fois, tu nous

apprendras à galoper ? demandent

les deux amis d'une seule voix.

Mon petit dossier

Lecture

1 Je montre le mot quand j'entends le son **è** comme dans 🏹.

poney   filet   pré   fraise

2 Je montre le mot qui correspond à chaque dessin.

bosse brosse   écureuil écurie   pleur fleur

bravo   fauteuil   four

3 📖 Je forme des mots avec les syllabes et je les écris dans mon cahier.

a. ge nè ma   **b.** sai an ver ni re

c. ven re a tu   **d.** pro de me na

Vocabulaire

1 Dans chaque liste de mots, je trouve l'intrus.

a. | la selle | le filet | les étriers | la promenade |

b. | le pas | la natation | le galop | le trot |

c. | la forêt | la voiture | le pré | la prairie |

2 Je range les mots dans l'ordre alphabétique et je les recopie dans mon cahier.

course   pied

journée   bombe

parents   sellerie

3 Rébus

4 Je trouve la charade.

Mon **premier** se lance pour pouvoir avancer son pion.

Mon deuxième peut être un loto ou un mémory.

Mon **troisième** se trouve au milieu de la figure.

Mon tout désigne le repas du midi.

29

Mon petit dossier

Compréhension

1 Je remets les images de l'histoire dans l'ordre.

a.

b.

c.

2 Je dis si les phrases sont vraies ou fausses.

a. Maxime et Clara vont au poney-club.

Vrai | Faux

b. Le poney de Maxime s'appelle Caramel.

Vrai | Faux

c. Maxime et Clara font une promenade en forêt.

Vrai | Faux

3 Je réponds aux questions.

a. Que ressent Clara quand Caramel s'arrête pour manger des fleurs ?

b. Qu'aimeraient faire Clara et Maxime quand ils reviendront au poney-club ?

c. Et toi, es-tu déjà monté à poney ? As-tu aimé ?

Qui travaille dans un poney-club ?

Enseigner

Entretenir

Le **moniteur** apprend
aux cavaliers à monter
à cheval. Il donne des cours
et propose des promenades.

Le **palefrenier** nourrit
les chevaux, nettoie les écuries
et entretient tout le matériel.

Soigner

Ferrer

Le **vétérinaire** soigne les
chevaux. Il vérifie qu'ils sont
en bonne santé. Et s'ils sont
malades, il peut les opérer.

Le **maréchal-ferrant** prend
soin des pieds des chevaux.
Il pose des fers sur leurs sabots
pour les protéger.

31

Le dico illustré

la bombe

le cheval

la crinière

l'écureuil

l'écurie

le manège

la monitrice

la photo

le pique-nique

le poney

le filet

la selle

les rênes

l'étrier

le poney-club

le pré

la voiture

Mon petit dossier

Réponses

Lecture. 1. poney ; filet ; fraise. **2.** brosse ; écureuil ; fleur. **3. a.** manège **b.** anniversaire **c.** aventure **d.** promenade.

Vocabulaire. 1. a. la promenade **b.** la natation **c.** la voiture. **2.** bombe ; course ; journée ; parents ; pied ; sellerie. **3.** pie/queue/nid/queue : pique-nique. **4.** dé/jeu/nez : le déjeuner.

Compréhension. 1. b, a, c **2. a.** vrai ; **b.** faux ; **c.** vrai. **3. a.** Clara est un peu vexée de rester seule en arrière et ressent un peu d'inquiétude. **b.** Ils aimeraient apprendre à galoper.

 **IMPRIM'VERT®**

Imprimé en Espagne par Agpograf
Dépôt légal : juin 2014
N° d'édition : 70118331-01